2023

다 부 살 이

지음 | 다부초 아이들

다부살이 (다부초 아이들이 살아가는 이야기)

발　행 | 2024년 3월 4일
저　자 | 다부초 아이들
펴낸이 | 한건희
펴낸곳 | 주식회사 부크크
출판사등록 | 2014.07.15.(제2014-16호)
주　소 | 서울특별시 금천구 가산디지털1로 119 SK트윈타워 A동 305호
전　화 | 1670-8316
이메일 | info@bookk.co.kr

ISBN | 979-11-410-7467-8

school.gyo6.net/daboo

내 아이만 아니라 우리 아이로

아이들의 삶을 잘 살펴보면, 뭔가를 겪고, 겪고 나면 마음속에 느낌과 생각이 자연스럽게 솟는다. 솟은 느낌과 생각이 마음 속에 쌓였다가 서로 엮이며 이야기가 되어 밖으로 나온다. 그런데 같이 지내보면 느낌이나 생각 드러내기가 어렵다. 학교, 집, 학원 늘 똑같은 일상이지만 자기 마음에서 느낌이나 생각은 늘 새롭지만 그 이야기를 막상 끄집어 낼 때는 쉽지 않다.

다부는 교육공동체를 만들기 위해 노력하고 있다. 그런데 막상 아이들이 자신들의 표현이 같은 반 친구 뿐만 아니라 다른 학년에게 보여지는 것을 꺼린다는게 너무 이상했다. 정말 싫어하는 것일까.

2023년 여름날 잠시 4학년 담임으로 아이들과 지내면서 솔직하게 자기 마음에서 일어난 느낌과 생각을 이야기로 드러내는 여러 시도를 했다. 그렇게 드러낸 이야기는 다른 아이들의 이야기와 만나 다시 또 다른 이야기로 만들어졌다. 4학년 아이들에게 다른 학년에 보여주면 어떨까 제안해 봤는데 다른 학년 글을 볼 수 있다면 자신들도 보여줄 수 있다는 것이다. 그렇게 2023년 2학기 처음으로 다부살이가 만들어졌다.

다부살이에 실린 아이들의 이야기는 자기 반 아이만이 아니라 우리 다부 아이들을 서로 이해하는데 큰 도움이 되었다. 쉽지 않은 상황이었지만 아이들과 지낸 이야기를 담백하게 담아 낸 다부살이가 아이들의 삶을 이해하는데 도움이 되었으면 하는 바램이다.

2024. 2. 28.

1부 _ 다부일레븐

2부 _ 환상의 일레븐

3부 _ 삼삼오오

4부 _ 초록의 쓴 맛

CHILDREN'S DAY

DABOO

다부일레븐
ELEVEn

다부 일레븐
다부
일레븐
다부일레븐

뽀삐뽀삐뽀뽀삐뽀

성준우 (6)

오늘 뽀삐가 태어났다. 너무 귀여웠다.(나처럼)

자료실에 있으니까 애들이 보러와서 6학년 교실로 이사를 했다. 집을 바꾼다고 내가 뽀삐를 들고 있었다.

엄청 보들보들했다.

김민아가 뽀삐와 함께 있는 내 사진을 찍었다.

옛날에 내가 키웠던 병아리가 생각났다.

뽀삐는 오래 살았으면 좋겠다.

힘이 되는 말

이은소 (6)

어제 체육을 했다. '미니게임천국'이라는 게임을 했다. 홀수, 짝수로 팀을 나누었는데 배준우가 있어서 우리가 이길 줄 알았다. 근데 배준우랑 조태연이 처음부터 져서 속상했지만 비난하면 힘이 빠질 것 같아서 열심히 응원했다.

나와 승현이가 마지막이었는데 그 이후로 계속 져서 내가 못할까 봐 걱정되었다. 역시나 다른 팀이 들어왔지만 우리는 못 들어가서 계속 게임을 했다. 근데 다른 팀, 우리 팀 애들이 우리가 졌는걸 아는데도 공을 주워주고 끝까지 응원을 해줘서 나도 더 힘이 나고, 졌는데도 기분이 좋았다.

원래 같았으면 서로 비난하고 탓했을 텐데 한 걸음 더 성장한 것 같아서 뿌듯했다.

완벽한 착각

박선우 (5)

저번 주 금요일 달빛축제 때 영화, 연극, 그리고 공연까지 했다. 나는 방과 후에서 난타 공연을 했다. 처음에는 '난타치고 오면 끝인데 떨릴게 있나?' 라고 생각했는데, 나의 완벽한 착각이었다.

난타 차례가 되었을 때 쥐구멍에라도 숨고 싶을 만큼 숨고 싶었다. 다행히도 눈을 감고 떠보니 공연이 끝나 있었다. 막상 할 때 2개 틀렸다. 리허설 때도 나랑 나경이랑 건영이 누나와 다혜랑 피링클스로 연습했을 때는 괜찮았는데 너무 아쉬웠다.

'더 잘할 수 있었는데!'

다음에 할 때는 더 잘해야겠다. 하지만 나는 1년차여서 선빵했다.

"난타 별거 아니네! 다 들어와!"

유가람... 하늘을 날다!

최서율 (5)

쉬는 시간에 방송실 앞에서 친구들과 놀고 있었다. 그런데 갑자기 벌이 나타났다.

우리는 요리조리 피했다. 하지만 가람이는 벌이 너무 무서운 나머지 피할려고 뛰다가 그만 주원이가 퍽 차고 나오던 방송실 문에 걸려 넘어지고 말았다. 그 순간 가람이는 날았고, 우리는 경악을 금치 못하고 웃음바다가 되어버렸다.

너무 신기하고 웃겼다. 하지만 당사자인 가람이는 너무 아팠을 것 같아서 조금 미안했다.

가람아, 빨리 낫기를.

(2023 / 9 / 11)

3호차 6학년들

김나인 (4)

언제인지는 모르겠는데 건영이 언니나 그런 언니들이 우리보고 개인 물건은 차 안에서는 규칙이니깐 꺼내지 말라고 해서 우리는 이제 안 꺼낸다.

어느 날 빼빼로데이(가래떡데이)가 다가오는 날 갑자기 6학년 대진이 오빠가 이대현 보고 속닥속닥 거리더니 "뭐게?"하고 6학년 언니, 오빠에게 물었다. 근데 다 틀려서 이대현 보고 말하라 하고 은소 언니가 나보고 속닥속닥 거리더니 "뭐게?"라고 말했다. 그때까지만 해도 나도 그냥 맞추기 게임이구나라고 생각해서 재미있었는데, 다음날 대진이 오빠가 뻔뻔하게 누드 빼빼로를 꺼내면서

"야, 이은소 너 이거 맞아?" 라고 물었다.

은소 언니가 "응"이라고 했다.

그래서 아주 뻔뻔하게 은소 언니에게 줬다.

진짜 어이가 없었다. 왜냐하면 앞에서도 말했듯이 6학년들이 우리보고는 개인 물건 꺼내지 말라고 했다. 다음부터는 안 그랬으면 좋겠다.

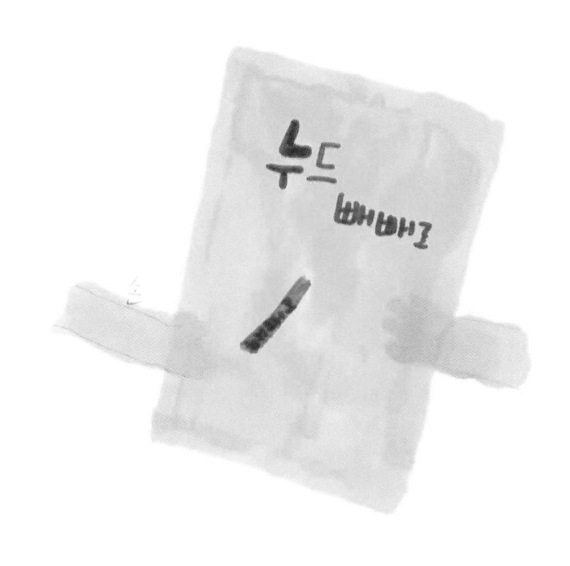

세상에서 가장 힘이 센 말

권유진 (4)

"괜찮아?"
"난 괜찮아!"
날 걱정해 주고 관심을 주는 것 같다.

"같이 할래?"
날 좋아해 주고,
이 말을 들으면
기분이 좋다.

"고마워!"
'다음에는 더 잘해줘야지!'라는 마음이 든다.

욕 줄이기

이주원 (3)

오늘 3학년 마음반 다모임에서 욕에 대한 이야기를 했다. 나는 찔리는 이야기가 많았다. 형님들이나 동생에게 들은 욕을 장난처럼 쓰거나 일부러 욕을 유도한 일을 한 적이 있다.

요즘에는 욕을 하는 것이 줄었다.

다음에는 욕을 아예 안 쓰지는 않을 것 같지만 최대한 욕을 안 쓰도록 노력할 것이다.

(2023 / 9 / 14)

소중한 날

김세음 (3)

나는 오늘 3, 4교시에 소중한 날을 했다.

나는 오늘 생일자 놀이로 눈깜술을 했다. 선우가 술래를 했다. 내가 무지개 다리를 할려 했지만 다리 같은데서 잡혔다. 마지막에 호람이와 다투었다. 그래서 뒤로 넘어졌다. 내가 호람이를 잡고 넘어진거니까 미안 했다. 그래도 이번 놀이가 재밌었다.

(2023 / 9 / 13)

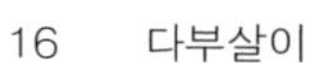

물감놀이가 좋아요

윤성빈 (2)

물감놀이가 좋아요.
붓으로 숫자를 쓴 다음에 그림을 그려요.
찰칵찰칵 카메라로 사진을 찍고
물놀이 하러 가요.
그런데 사진을
더 찍고 싶어요.
기분이 많이 좋아요.

(2023 / 5 / 12)

눈이 안 오지?

김성민 (2)

오늘 아침에
눈이 안 오고, 그냥 얼음이 안 얼지?
왜 눈이 안 와~
궁금해! 궁금해! 모르겠다. (2023 / 12 / 18)

신기한 산책

이세현 (1)

신기한 산책을 어떻게 했는지 궁금하지?

내가 이제 들려줄게.

내가 산책을 갔어. 그런데 왠지 싸늘했어. 그래서 시원했어. 무서우면서도 재미있는 산책이었어.

근데 뭐 채원이 언니를 보니까 무서움이 사라졌어. (2023 / 9 / 22)

행
다부
운
우리는자유를
원한다!
부
일레븐
적

환상의
일레븐

쉬는 시간에는
ADVENTURE

공감이 필요했던 하루

김대진 (6)

국악 시간에 선생님께 예의 없게 말했다. 선생님께서 피아니시모와 메조 피아노가 똑같은 거라고 했다.

내가 배우기론 다른 거로 알고 있어서

"선생님, 작곡 전공 맞아요?"

불쑥 말해버렸다.

그리고 '넌 할 수 있어 라고 말해주세요' 노래를 배울 때, 우리는 다 어린이집 때 배워서

"이 노래는 솔직히 다 알지. 모르는 사람은 문제 있다."

라고 했는데, 선생님께서 노래를 모르고 계셨다.

나는 우리 기준으로 말했는데 선생님께서 기분 나쁘실거라고 상상도 못했다.

이래서 공감능력이 있어야 한다고 생각한다. 국악 선생님께 정말 죄송하고 앞으로 더 예의 바른 어린이가 되어야겠다고 생각했다.

오후에 하루 돌아 보기를 할 때, 이은소가 '어른께 예의를 갖춰 말하고 행동했다.'를 읽었다. 그때, 배준우랑 김영훈이

"김대진"

이라고 말했다. 이 말의 의미는 체크하지 말라는 뜻이다.

나는 반성하고 있는데 그렇게 말하니까 속상했다.

나도 공감 능력이 필요하지만, 배준우와 김영훈도 필요한 것 같다.

다모임에서 도움이 되는 법

하승현 (6)

다모임에서 대표, 부대표가 얘기를 하고 있는데 동생들이 시끄럽다면

'조용히 하자' 라고 말해준다.

6학년은 가장 높은 학년이어서 다모임이 모두의 일 같다. 그래서 시끄러울 때는 대표, 부대표를 제외한 거의 모든 6학년이 동생들에게 조용히 해달라고 주의를 준다.

곳곳에서 6학년이 주의를 주면, 동생들도 조용해지는데 그러면 다 같이 다모임에서 도움이 된 거다.

선거 준비하면서 느낀 점

이우정 (5)

원래는 선거를 나갈 마음은 없었다. 그런데 한 번 도전해 보고 싶어서 나가겠다고 마음 먹었다.

선거 후보를 결정할 땐 나는 평안이랑 했다. 평안이가 선거 번호를 1번 뽑았을 땐 정말 좋았다. 공약을 내는 과정에서 너무 힘들었다. 낼 의견이 없었다.

독감에 걸렸을 땐 잘 되고 있는지 너무 걱정됐다. 선거운동을 할 땐 쉬는 시간을 못해서 좀 아쉬웠다. 선거 운동원이 귀찮다는 걸 팍팍 티 내고 대충대충 해서 속상했다.

포스터를 그릴 땐 되게 재밌었는데, 대본을 짤 땐 원래 9시 30분에 자야 되는데 10시 41분에 자서 피곤했다.

동영상 찍을 땐 매우 긴장되었다. 선거 준비가 이렇게 힘들다는 걸 깨달았다.

(2023 / 12 / 20)

기호 2번 뽑아줘!

유가람 (5)

나는 주원이랑 같이 나가. 왜냐하면 우리는 3학년 때부터 같이 나가기로 했기 때문!! 근데 주원이가 아파서 일주일 동안 안 왔어. 그래서 5학년 선거운동원과 준서, 선우와 공약을 만들었어. 왠지 선거운동원은 좀 집중 안 하고 나 혼자 할 것 같았는데 자기 일처럼 적극적으로 도와줘서 고마웠어.

긴 일주일이 지나고 주원이가 왔어. 다 같이 공약 수정도 하고 6학년들의 아이디어도 받아 공약이 점점 멋지고 좋아졌어. 포스터도 꾸미고 피켓도 만들었어.

드디어 열심히 만든 피켓을 들고, 선거운동을 했어. 목이 나가도록 '기호 2번'을 뽑아달라고 했지. 목은 아팠지만 자신감은 쑥쑥 올라갔어. 그리고 오늘 소견 영상을 찍었어. 처음에 잘 찍고 싶어서 영상을 찾아봤는데 못 찾았어. 왜냐하면 내가 '소변' 영상인 줄 알고 찾았던 거야. 그러니 화장실에 대한거만 나와서 너무 황당하기도 했지.

소견 영상 찍기 전에 연습할 때는 합이 안 맞았는데 실전에는 잘 맞았어!

이렇게 열심히 했으니까 2번 뽑아줘~!

과연 2024년 1학기 대표, 부대표는 누가 될까? (2번이 되길...)

(2023 / 12 / 8)

나는 마인드맵 솔직히 좀 많이 싫다.

김도경 (4)

나는 마인드맵 솔직히 좀 많이 싫다. 왜냐하면 일단 숙제로 내줘서 집에서도 할게 있는데 하기가 귀찮고 정리노트 쓰는게 힘들다.(수업 듣기도 힘들다.) 체육할 때는 아예 쓰지도 못해서 많이 못쓴다. 선생님이 그걸하면 좋다는데 난 억지로 쌤이 하라고 해 하는거여서 좋은 것 같지도 않다. 그냥 다른 것도 그렇고 마인드맵의 모든 것이 할 때마다 최악이고, 귀찮고 그런 것 같다. 너무 글을 싫다고 쓴 것 같아서 선생님께 좀 죄송하기도 하지만 이게 내 생각이다.

왜냐하면 일단 숙제로 내줘서 집에서도 할게 있는데 하기가 귀찮고 정리노트 쓰는게 힘들다.(수업 듣기도 힘들다.)

체육할 때는 아예 쓰지도 못해서 많이 못쓴다. 선생님이 그걸하면 좋다는데 난 억지로 쌤이 하라고 해 하는거여서 좋은 것 같지도 않다.

그냥 다른 것도 그렇고 마인드맵의 모든 것이 할 때마다 최악이고, 귀찮고 그런 것 같다.

너무 글을 싫다고 쓴 것 같아서 선생님께 좀 죄송하기도 하지만 이게 내 생각이다.

어울림 큰잔치

추호람 (3)

지난주 토요일에 어울림 큰잔치를 했다. 각 동아리에 부스가 있었는데 우리 동아리 부스에는 호떡과 소떡소떡 만들어 보는 체험이었다. 나는 호떡 만드는 담당을 했다. 시작했을 때는 형들이 많았는데 점점 형들이 없어져서 마지막에는 선생님과 나밖에 안 남아서 너~~무 힘들었다. 형들이 많을 때는 내가 2번 쉬었는데 1번 쉴 때 2분 쉬었다. 거기다가 2시간이나 계속했다. 그리고 주문이 4개나 밀렸다. 그래서 너~~~~~~~ 무 힘들었다.

(2023 / 10 / 23)

미술 공책

이 선 (3)

난 어제 쉬는 시간 때 뭐할지 고민돼서 그냥 미술 공책을 받아서 표지를 그렸다. 되게 정말 굵고 예쁜 글씨체를 쓰건 오랜만이었다. 그래서 시간도 많이 걸리고 힘들었지만 만족스러워 뿌듯했다. 근데 현아가 와서 "와! 선아 너무 잘 그렸다." 해서 정말 정말 뿌듯했다.

(2023 / 9 / 1)

끔찍한 여행에서 90% 바뀐 여행

박상현 (2)

토요일에 자연드림에 갔다. 2시 30분까지 갔다. 그때 ..“안나, 은솔이가 왔다” 나는 깜짝 놀랐다.

그리고 숙소에 갔다. 그때 안나, 은솔이 숙소에는 짐이 속전속결 되어 있었다. 나는 얼른 내 숙소로 갔다. 우리 짐도 다 정리되어 있었다. 그리고 숯불 고깃집에 갔다. 고기 구울 때 소리가 치이익!치이익! 소리만 닭살이 돋았다. 그리고 겁나 배 불렀다. 놀다 보니 밤이 됐다. 그런데 수영장이 있어서 수영장에 갔다. 그때 은솔이 아빠가 없어서 삐~~ 화면 조정 중 기.다.리.세.요. 어쨌든 목욕탕에서 씻고 목욕탕 안에 수영장 문이 있었다. 반신욕에 들어가서 수건을 목에 둘러맸다. 물어다 발을 데봤다. 많이 뜨거웠다. 바로 냉탕에 들어갔다. 겁나, 차가

웠다. 그냥 바로 수용복 입고 바로 뛰었다. 겁나 재밌었다.

(2023 / 12 / 11)

산책

박시온 (2)

산책을 하면 새소리가 들려요.
바람은 너무 시원해요
올라가면 힘들고
내려가면 뛰어가고
오늘은 너무 신나요.
산책은 너무나
재미있어요.
왜냐하면
함께 가니깐요.

(2023 / 10 / 13)

1학년이 1학년에게

이준희 (1)

너희들 1학년이 좋은 거야.
알겠지?
왜 좋은지 알려줄까?
왜냐하면
젤 쉬운 공부만 하니까. (2023 / 10 / 20)

피구

박서윤 (1)

피구가 정말 재미있었다.
피하는 것도 재미있고
던지는 것도 재미있고
맞는 것도 재미있고
뒤에서 던질 수 있어서 좋았다.

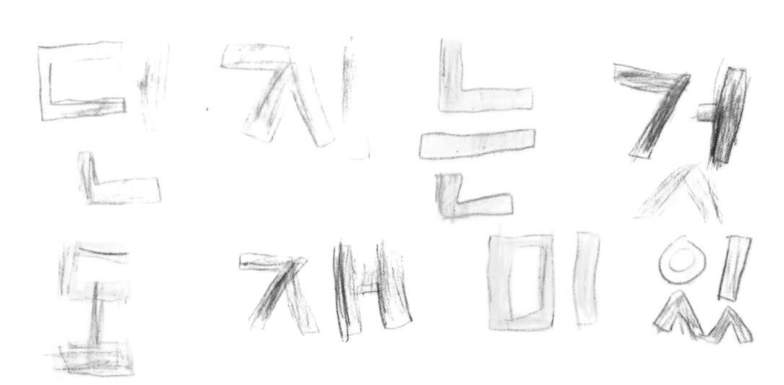

(2023 / 9 / 7)

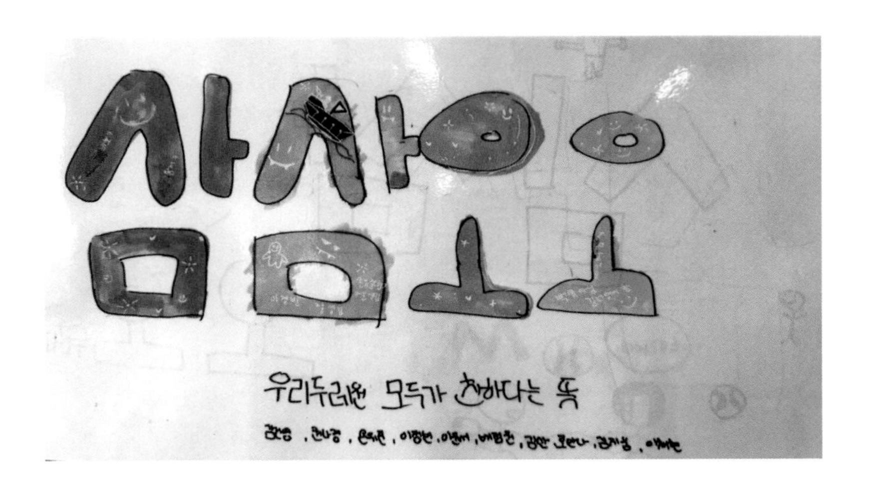
삼삼오오

7월 어느 날 소학행

김건영 (6)

1, 2교시에 칭/비/축/제 게시판에 적힌 이야기를 나눌 때 애들이 얼마나 힘들었을지 이해가 됐고 나도 그만큼 많이 힘들었다. 그래서 계속 눈물이 나오고 머리가 진짜 너무 아팠다. 체육시간에도 참여를 못했다.

하지만 이렇게 이야기하면서 서로 사과해서 마음이 한결 편해지고 좋았다.

축구

손유준 (5)

오랜만에 축구를 했다 준서가 드리블을 하는데 선우가 뺐고 달렸다 근데 갑자기 준서가 발목을 잡고 앉았다.

파울이 아니여도 일단 준서가 다쳐서 경기를 멈추라고 하는데 한 4면빼고 다 축구를 하고있다 축구를 하다 다치면 멈추면 좋겠다.

(2023 / 9 / 19)

어울림 큰잔치

권나경 (5)

토요일에 어울림 큰잔치를 했다.

우리 동아리는 다락매점을 했다.

퀴즈를 맞추고 간식을 받아가는 것이다.

동아리가 시작하고 우리 동아리에 사람이 3~4명 올까 말까였다.

그래서 지유가 사람들을 불렀다.

불러도 1~2명 정도 왔다.

6학년 어떤 오빠는 자기가 맡은 일이 노잼이라며 그냥 그네를 타러 가버렸다. 또 이건 내 생각일 수 있지만 6학년 언니들도 자리를 많이 비웠다. 나는 간식과 벌칙을 주는 것을 했고, 지유는 운영하는 것을 했다.

"간식이 2부에는 좀 없어지면 좋겠다." 라는 생

각은 했지만 없어지기는 커녕 그냥 그대로였다.

'우리가 뭘 잘못한게 있나?'

'아님 벌칙이 좀 심한가?' 라는 생각도 했다.

오라 하면 "저기 있는 것만 하고 올게!" 하고,

아니면 동아리 부서들 있는 앞에서 대놓고

"재미없어 보인다."

"벌칙 너무 싫다." 등 짜증나게 말하면서 갔다.

솔직히 준비해 주면 좋게 체험해 주면 될건데 화났지만 참았다.

(2023 / 10 / 23)

내가 생각하는 좋은 친구

이정빈 (4)

내가 생각하는 좋은 친구는 나를 믿어주고, 나에게 거짓말하지 말아야 하고, 나를 사랑하고, 나와 같이 있어주는 친구다.

나는 다른 친구들에게 좋은 친구라 생각 안한다. 무엇 때문에 그러냐면 나는 친구를 가끔씩 사랑하지 않는 것 같다. 왜냐하면 가끔씩 살짝 의견이 안 맞으면 혼자 'OOO은 왜 내 의견을 안 맞춰주지?' 라며 혼자 생각하기도 한다. 그리고 가끔씩 도경이에게 불편을 끼치는 것 같기도 하다. 아침에 나는 자꾸 도경이에게 말을 너무 많이 해서 도경이가 귀찮아하는 것 같다. 그래서 이제부턴 친구의 의견도 들어주고 친구에게 불편을 끼치지 않도록 노력할 것이다.

내가 생각하는 좋은 친구 _ 이정빈 (4)

성장

이윤서 (4)

나는 원래 글쓰는 것을 많이 싫어했다. 하지만 요즘 들어 글쓰는 것이 좋아진 것 같다. 왜냐하면 다부살이에 내 글이 실리는 것이 너무 좋기 때문이다. 나는 글쓰는게 재미있는 것인줄은 몰랐다. 또 나는 원래 수학도 엄청 싫어했다. 예전에는 수학을 하면 답답하기도 했다. 하지만 내 스스로 하니깐 나도 모르게 자꾸 하고 싶고 재미있어진 것 같다. 항상 선생님 설명만 들으니 좀 지루하기도 하고 매우 따분했다. 그런데 혼자하고 친구들과 모여서 하니깐 재미있었다. 이렇게 변화가 오는 것도 처음인 것 같다.

성장 _ 이윤서 (4)

오랜만에 야구

배정원 (3)

나는 체육 창고에 야구공이 없어서 한동안 야구를 못했다. 그래서 금요일에 혹시 몰라서 체육창고에 가봤는데 테니스공이 있었다. 너무 기뻤다. 그래서 도경이 형이랑 야구를 했다. 역시 야구가 최고인 것 같다.

(2023 / 10 / 10)

달빛축제

김 산 (2)

금요일에 달빛축제를 했다. 진짜 떨렸다. 공연을 하고 뭔가 뿌듯했다. 그리고 맨 처음에는 밴드부 공연을 했다. 완전 멋있었다. 그리고 달빛축제 끝나고 이준민이랑 유튜브를 찍었다. 돌봄에 갔다. 진짜 무서웠다. 그리고 왕본이를 잡았다. 근데 지금도 키우고 있다. 토요일에는 집콕생활을 했다. 일요일에는 골프대회를 갔다. 38타를 쳤다. 츄러스, 소떡소떡을 먹었다. 완~~전 맛있었다. 재미있었다. 끝~

추신: 왕본이 건강함. 그리고 연습할 때 진짜 힘들었음. 그리고 아빠들 공연할 때 진짜 웃었다가 진짜 울었음. 엉덩이 씰룩씰룩 너무 웃겼음.

(2023 / 11 / 20)

달빛축제 _ 김산 (2)

나의 추억 제주

조안나 (2)

금요일에 비행기를 타고, 제주도에 갔다. 먼저 로봇을 봤고, 로봇 공연을 봤다. 그 다음 서커스를 봤다. 엄~청 유연했다. 그 다음 그리스 박물관에 갔다. 사우나도 갔고, 오락실에도 갔다. 토요일에 배를 타고 있었다. 돌고래를 봤다. 엄~~청 좋았다. 근데 비에 다 맞았다. 그래서 사우나에 또 갔다. 이번엔 노래방에 갔다. 그리고 차를 타고 오락실에 갔다. 사진도 찍었다. 월요일에 산책을 했다. 공항에 갔다. 비행기를 타고 대구에 왔다. 아이스크림을 먹었다. 우리 강아지를 아빠가 데리고 왔따. 그래서 집에 왔다. 너무 재밌고 기뻤다. 다음에 또 가고싶다. 안녕 제주!

(2023 / 10 / 10)

나 추 주_ 안나 (2)

양치하기

김지웅 (1)

밥을 먹고 양치를 해야 돼.
세균이 있을 수 있어.
칫솔, 치약, 컵을 사물함에서 꺼내.
칫솔에 치약 짜서 이를 닦아. 오래 닦아.
'오그르르 패'를
세 번 해.
(2023 12 12)

2천 원

이채현 (1)

차에 타는데 뭔가 까먹은 거 같았다.
"엄마 나 돈이 없어."
"그래? 엄마가 잔돈 있나 볼게."
잔돈이 2천 원 있다 했다.
그래서 난 더 있냐고 말했는데 없다 했다.

(2023 10 20)

엄마 _ 이채현 (1)

초록의
쓴 맛

세계여행 계획

김영훈 (6)

사회시간에 모둠끼리 세계여행 계획을 세웠다. 조사한 걸 모으는데, 박주현이 조사를 많이 못 했다고 했다.

"사진 넣을 시간에 좀 더 조사를 하지 왜 이거밖에 못 했냐?"

모둠활동이 잘되지 않는 것 같아서 답답한 마음 반, 장난 반으로 그렇게 말했다. 최민준도 옆에서 같이 뭐라 했다.

박주현이 자기가 잘못했다고 많이 울었다.

많이 미안했다.

그래서 태국 조사할 걸 하나 빼줬다.

달빛축제

이지호 (6)

오늘 달빛축제를 한다고 바이올린 연습을 했다. 그런데 오늘 예닮샘이 안 와서 음을 맞출 때 하승현이 줄을 6~7개를 끊어 먹었다. 안 그래도 줄이 얼마 없었는데 하승현이 다 끊어먹어서 진짜 없다. 그리고 얼마 맞춰 보지 않아서 공연도 엉망일 것 같았다. 빨리 달빛축제를 끝내고 집에 가고 싶다.

축제가 끝났다. 하는 중에는 스태프 일한다고 힘들어 죽겠는데 공연도 못 봤다. 끝나고 보면 보람이 있을 줄 알았는데, 너무 힘들어서 생각도 안 났던 것 같다. 지금도 피곤하다.

그래도 내가 맡은 일들을 다 해내서 조금은 보람이 있는 것 같다.

합천

방주원 (5)

안녕! 얘들아!

내가 오늘 합천에 가서 먼저 대장경 테마 파크를 갔어! 나는 아~ 주 길고 긴 미끄럼틀 타는게 기억에 남았어! 또 편의점에서 더위 사냥을 샀는데 너무 양이 많았어! 그래서 버스에 타야 하는데 아주 와구와구 집어넣어서 이가 시려웠지. 헤헤

그리고 짜장면 집을 가서 나와 가람이가 같이 음식을 나눠 먹었는데 난 짬뽕! 가람이는 짜장면을 먹었어. 내가 먹어본 짜장면집 중 거의 최초로 맛있었지! 다음에 또 가기로 사장님과 약속도 했어!

그리고 마지막으로 해인사를 갔어.

그때 경비 아저씨께서 관세음보살을 말하고 자면 잠도 잘~ 온다고 하셨어! 손에 있는 것도 관세

음보살을 오늘 몇 번 했는지 세어 보는거야! 아저씨께서 나한테 다시 또 말씀하려고 오셨을 때 가람이한테 가셔서 놀랬어! 왜냐하면 가람이는 위에 옷이 민트였고, 난 검정색과, 하얀색인데 너무 다르기 때문이야!

그리고 가람이는 머리카락도 묶고, 모자도 썼어(보라) 그게 나는 기억에 남아!

<그럼 지금까지 쥬워니 였어. 안녕~>

(2023 / 10 / 30)

학부모 참여수업

권민영 (4)

오늘은 학부모 참여수업을 하는 날이었다. 하지만 우리 부모님은 너무 바쁘셔서 못왔다. 하지만 난 이해한다. 1학년 때부터 그랬다. 근데 못오신 분들도 많았다. 다시 말하지만 행복은 내 긍정적인 마인드와 옳은 생각을 가지고 행복을 찾아가는 것이다.

내 행복은 내 곁에 우리 가족이 있는 것만으로도 나에겐 행복이다. 공개수업 때 우리 부모님은 못 왔어도 항상 내가 학교생활을 잘한다고 믿어주실거다. 우리 어머니, 아버지는 그렇게 하실거고, 난 학교생활을 더 열심히 할거다.

내년에는 우리 부모님도 오시겠지? 난 항상 내 마음속엔 내 곁을 지켜주는 우리 가족 밖에 없으니깐! 옛날엔 이런 일로 울었다.

지금은 왜 그때 울었는지 이해가 안된다. 사실 조금 슬프긴 하지만 난 이제 고학년이라 괜찮다.

난 우리 부모님을 믿고 부모님들도 나를 믿으니까!

공부(싸운다)

조한나 (4)

공부는 과목에 따라 싸움 수치가 달라진다.

체육을 할 때는 친구들이 너무 행복함이 올라서 싸운다.

수학을 할 때는 친구들이 너무 행복함이 떨어져서 싸운다.

미술을 할 때는 자기가 원하는 것만 해서 싸운다.

음악을 할 때는 리코더나 오카리나를 너무 잘 불어서 싸운다.

결국은 너무 많이 싸운다.

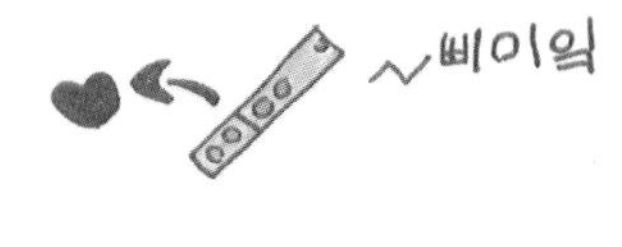

= 안 싸움

= 싸움

공부 _ 조한나 (4)

욕쓰지 말기

장선우 (3)

6학년들이 욕썼다고 자기도 쓰는건 좀 아닌 것 같다. 욕을 거꾸로 한 말을 여러 번 말을 하게 해서 욕을 쓰게 한다는 건 나도 너무 화가 난다. 그리고 거기에 당한 사람들 기분을 헤아려 주고 싶다.

나도 당한 적이 있었는데 그 땐 정말 화나고 짜증났다.

(2023 / 9 / 14)

독서 토론

신이솜 (3)

난 '백점백곰'을 읽고 모둠끼리 질문을 만들고 그 중 하나를 골라서 모둠원과 생각을 나누었다. 그 때 내가 기록자였다. 기록자는 친구들의 생각이나 말을 기록하는 역할이다. 나는 그 역할을 맡으면서 친구의 생각을 듣고 정리해서 쓰는게 재미있었다.

친구의 생각을 알 수 있어서 더 좋았다.

(2023 / 10 / 4)

삶이란 뭘까

정승효 (2)

삶은 때론 행복하고 슬프고 신나고
재미있고 이런게 끝이 아니다.
삶은 끝이 없다.
삶이란 끝없는 행복같은 거다.
때론 기분도 나쁘고 때론 좋은 생활
끝없는 삶..
행복하고 슬프고 재미있고..
끝없는 삶은 재미있고 행복고 슬프고
나는 끝없고 재미있고 슬프고 행복한 삶을 살거다.

(2023 / 12 / 19)

삶 _ 정승효 (2)

모든 친구와 잘 놀 수 있는 방법

신수정 (2)

일단 놀 때는 배려와 양보를 해요. 그리고 느리다고 놀리는 대신에 느린 사람은 깍두기를 하게 해줘요.

다른 사람을 속상하게 하면 그 사람은 속상하면 다른 사람이랑 안 하고 싶어져요. 그리고 다른 사람의 의견을 들어주면 더 좋을 것 같아요.

(2023 / 9 / 14)

키자니아 부산에서 힘들었던 체험학습

하이레 (1)

키자니아에서 라면 연구소를 못 가서 아쉬웠다.
주스도 못 해서 아쉬웠다.
그래도 재미있었다. 진짜 재미있었다.
최고! (2023 / 12 / 11)

키자니아

박하율 (1)

키자니아에 가기를 엄청 기대를 하고 있었지만 너무 복잡했다.

어딜 가도 계속 기다려야 했다.

게임개발소에 가도 엄청 기다려야 하고,
달걀 복지센터에 가도 엄청 기다려야 하고,
신한은행에서도 기다려야 했다. (2023 / 12 / 11)

키자니아 _ 박하율 (1)

시간표
사회
과학
체육
영어
하나. 우리 반은
셋. 서로 다름을
이해합니다.
알사탕

다부초는 마음껏 할 수 없다

배준우 (6)

다부초는 어떤 학교보다도 모든 학년과 함께 해야 한다.

노는 것도 같이 놀고 두레, 자치부서, 동아리, 반이 학년당 1개씩 밖에 없으니 더욱 더 같이 지내야 한다. 그런 이유로 다툼과 불편한 점도 많이 생긴다.

다툼을 말리려면 결국 선배, 후배의 벽을 낮추고 학교가 하나의 반이 되어야 한다. 그래서 우리는 매년 배려를 배웠고, 배우는 중이다.

나 같은 경우는 신체조건이 좋은 편이어서 개인피구를 같이 할 때 저학년들에게 힘 조절이 필요하다. 심지어 야구를 하면 투수를 시켜주지 않는다. 그래서 제대로 열심히 하고 싶지만 할 수 없는 경

우도 많이 있다. 동생들이 몰라주는 것 같아 서운한 부분도 있다.

하지만 나도 저학년 때 그런 배려를 받아왔고 나도 지금 받은 배려를 베푸는 것 같다.

지금 저학년들도 고학년이 되면 지금 고학년처럼 꼭 해줄 것이다.

뭔가 잘못된 크리스마스 이벤트

류민지 (6)

어제 놀이부가 크리스마스 이벤트를 한다고 말했을 때, 우리 반에서 다같이 이벤트를 하면 더 좋겠따고 해서 나의 자치부서인 게시판부와 매점부(산타, 루돌프 사탕), 놀이부, 기자부, 거의 모든 자치부서가 합쳐서 이벤트를 준비했다.

놀이부는 '크/리/스/마/스' 보물을 찾으면 5명이 모여 내 자치부서인 게시판부가 포토존에서 사진을 찍어 주는데 여기서부터 문제가 있었다. 원래 5명이 찍으면 사진을 5개나 뽑아줘야 되는데 실수로 1장만 뽑아 가위바위보를 해서 가지고 가고 싶은 사람한테만 줬다. 나중에 건영이랑 민아가 와서 "1장이 아니라 5장 다 뽑아줘야 되는거 아니야?" 라고 물어봤을 때, '이거 잘못됐다.' 라고 생각했다.

그래서 애들을 다 찍고 5장을 다 뽑아야 하는데 필름도 모자라서 다 못뽑았다. 사진을 신경쓴다고 놀이부 애들이 계속 우리 옆에서 도와줘서 고맙기도 했지만 미안했다. 사진을 가지고 가고 싶어했는데 못 가져간 애들한테도 미안했다.

뭔가 큰 실수를 한 것 같아서 미안하고 빨리 필름을 시켜야겠다.

올만! 그네

김준서 (5)

오랜만에 지호와 그네를 탔다. 둘이서만 같이 얘기하니 재밌는 게임얘기와 억눌린 감정얘기가 나왔다. 그네도 타니 더욱 이야기할 줄거리가 쏙쏙 떠 올랐다.

또 요새 너무 밖에 나오는 사람이 없어졌다. 10분동안 그네타며 놀았는데 단 한명도 나오지 않았다. 조금 아쉬웠다. 다같이 밖에서 뛰어놀던 때가 더 좋았다는 얘기도 했다. 가끔씩 둘이서 얘기하는 것도 좋은것 같다.

고민상담소 비슷한 느낌이랄까...

(2023 / 11 / 1)

참여수업

배효정 (4)

오늘은 참여수업을 했다. 참여수업 전날부터 모둠을 이끌어가는 이끔이와 회의내용을 정리하는 서기를 정했다. 먼저 이끔이는 우리 모둠에서는 다 하고 싶어했다. 그래서 결국 가위바위보로 정해서 내가 하게 되었다. 서기는 유정이가 하게 되었다. 참여수업을 하는 날 막상 이끔이 역할을 하려고 하니 너무 떨렸다. 발표도 이끔이인 내가 했다. 참여수업은 부모님이 함께 하시니까 잘 보이려는 모습을 많이 비춘 것 같다. 이끔이를 해서 좋았던 점은 부모님과 친구들이 내 말에 집중해 주어서 좋았고, 아쉬웠던 점은 나가서 발표했을 때 친구들이 집중을 해주지 않아서 아쉬웠다.

우리 학교에 대해서

김아현 (4)

우리 학교는 너무 좋다.

학교 안에 놀이터도 있고, 연못, 닭장도 있고, 운동장에서 놀 수도 있다.

나의 전 학교와 정반대다. 그래도 난 여기가 제일 좋다.

재밌는 축제도 있고, 비록 시골에 있는 작은 학교지만 우리 학교가 세계 최강 좋은 학교다.

너무 시골에 있는게 단점이다만... 쩝.

우리 학교 _ 김아현 (4)

먹으러 온거야? 타러 온거야?

정지유 (3)

나는 어제 금오랜드로 체험학습을 갔다. 스케이트를 탈 때 뭔가 더운 것도 아니고 추운 것도 아니라서 찝찝했다. 그래서 한 바퀴만 돌았다. 나와서 간식을 먹었다. 우리가 싸온 간식은 조금만 먹고, 이솜이랑 같이 간식을 받으러 다녔다. 그게 제일 재밌었다. 에너지바, 샤인 머스켓, 초코송이, 지렁이 젤리, 빼빼로, 딸기 요거트칩, ABC 초콜릿 등 여러 가지를 먹었다. 그리고 밥을 먹으러 중국집에 갔다. 가서 짜장면을 먹었다. 탕수육도 먹었다. 그런데 세음이가 소스를 만들었다. 별기대 안했는데 진짜 맛있어서 놀랐다. 다 먹었는데 남겼다. 양이 많아서가 아니라 우리가 간식을 많이 먹어서가 아닐까?

(2023 / 11 / 22)

빙상체험 _ 정지유 (3)

내 뒤에 고양이

오서준 (3)

난 그네를 타다가 갑자기 내 뒤에서 타닥타닥 소리가 났다. 난 너무 놀랐다. 오싹한 나머지 그대로 고개를 돌렸다. 그의 정체는 바로 고양이였다. 학교에 고양이가 자주 나오는데 매일 나올 때 마다 색깔이 바뀌는 것도 의문이다. 아마도 마을에서 키우는 고양인 것 같다. (2023 / 10 / 12)

다함께 캠프

이준민 (2)

다함께 캠프에서 미션으로 가족 안아주기와 사랑해라고 했다. 엄마 심부름도 했다. 엄마 없을 때 이불도 깔아 드렸다.

(2023 / 6 / 20)

이리갔다. 저리 갔다. 주말과 금요일

장채원 (2)

금요일에는 서윤이 집에 가서 라면 먹고 영화를 보고 잤다. 일어나니 토요일이다. 나가서 놀이터에서 서윤이랑 오빠랑 놀다가 아이스크림도 먹고 또 놀고 있었는데 엄마 아빠가 와서 짜장면을 먹었다. 먹고 나서 할머니 집에 서윤이랑 갔다. 김장도 했는데 냄새가 이상했다. 근데 재미있었다. 옷에 하나도 안 묻어서 다행이었다. 수육도 먹었는데 나는 수육을 싫어한다. 서윤이가 우리 집에서 잔다고 했다!! 좋았다. 내가 자기 전에 서윤이한테 책을 읽어주었는데 서윤이가 나보고 실감나게 잘 읽어주었다고 칭찬해줘서 고마웠다. 엄청 뿌듯했다. 너무 고마웠다. 다음 날은 일요일이다. 일어나자마자 책을 읽어 주었다. 책을 읽고 나서 만들기 하고 치울 때

책상에 머리를.. 박았다. 지금도 아프다. 그다음 등산을 가서 맨발걷기를 했다. 완전~~ 힘들었다. 다하고 차에 타니 발목이 화끈했다. 그리고 인라인을 타러 함지공원에 갔다. 그런데 갑자기 김산이 있었다. 예상과는 다르게 김산이 나한테 찡찡댔다. 김산이 슬링백을 잘했다. 그리고 서윤이랑 우리 집에 가서 목욕하고 영화를 봤다. 서윤이는 조금 보다가 갔다. 그리고 토요일에 차에서 상현이를 봤다. 정말 재미있었다. (2023 / 12 / 11)

버스에서

임세찬 (1)

버스에서 잤다.
도착해서 일어나서 학교로 달렸다.
버스에서 일 분 동안 잤다. 늦었다.
3학년 누나가 깨워줬다.
뛰어갈 때 운동장에 아무도 없었다.

(2023 / 9 / 5)

곱기도 해라

박여원 (1)

저번에는 노래도, 율동도 지루했는데 지금은 재미있다.

오늘도 노래랑 율동이 재미있었다.

또 노래랑 율동을 하고 싶다.

계속 하고 싶다.

너무 너무 재미있다.

(2023 / 9 / 12)

Children's
DAY

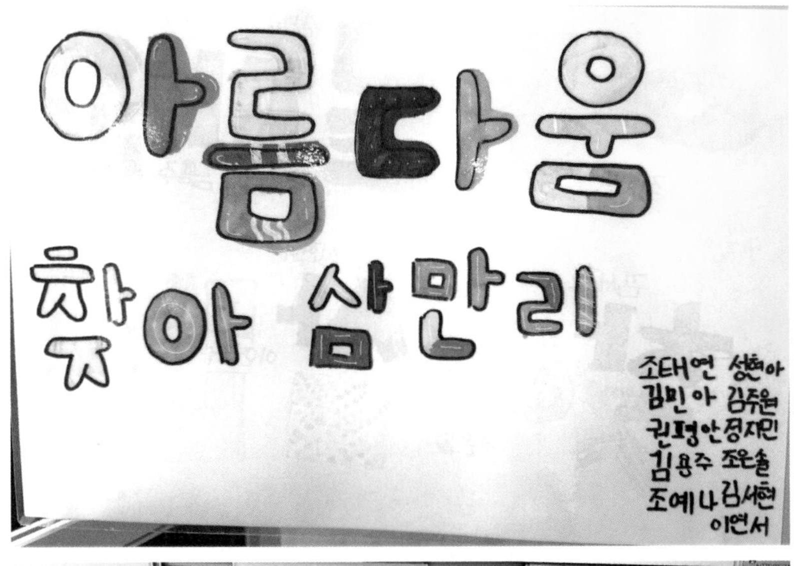
아름다움
찾아 삼만리
조태연 성현아
김민아 김주원
권평안 정지민
김용주 조은솔
조예나 김서현
이연서

아름다움
찾아 삼만리

가산수피아

김민아 (6)

더운 여름을 맞이해서 가산수피아에서 물놀이를 했다. 비 예보가 있어서 걱정했는데 유독 햇빛이 쨍쨍하던 날이어서 다행이었다. 가산수피아에 들어가자마자 피자 만들기를 했다. 올라가는데 좀 덥고 힘들었다. 우리 모둠은 연서, 준민, 배준우였다. 준민이가 좀 활발한 성격이라 사고를 칠 것 같았다. 그래도 배준우 물컵에 자기가 먹던 콜라 한 방울 떨어뜨린 것 빼곤 사고를 치지 않아 다행이었다.

피자 만들기가 끝나고 물놀이장으로 갔다. 생각보다 넓어서 좋았던 것 같다. 그리고 에어바운스나 빙글빙글 튜브처럼 놀거리가 많아서 심심하지 않았다. 6학년 몇 명이랑 머리에 냉수 맞기 내기를 했다. 근데 3번 연속 걸려서 70초나 맞았다. 시원했다가 머리가 띵해졌다.

'혼자 왔어요.' 게임도 했다. 내 옆에 있던 사람이 틀리면 나도 물을 맞았다.

물놀이가 끝나고 피자&스파게티를 먹었다. 피자는 모르겠고, 스파게티는 그저 그런 맛이었다. 밥 먹고 또 물놀이를 하고 샤워를 했다. 사람도 많고 복잡해서 3분 만에 씻었다. 선생님들은 완전 힘드셨을 것 같다. 허겁지겁 샤워를 끝내고 집으로 돌아갔다. 친구들과 좋은 추억을 쌓을 수 있어서 좋았다.

1학년 놀아주기

조태연 (6)

저번주 금요일에 오랜만에 1학년이랑 놀았다. 내가 자발적으로 간건 아니고 샘이 가자해가지고 간 거다. 나는 지금까지 1학년이랑 논 적이 거의 없어서 재밌을 것 같기도 했는데 좀 지룰 할 것 같기도 했다.

강당에 가서 수건돌리기를 했는데 생각보다 1학년이 너무 잘해서 놀랐다. 잡힌 사람은 햇님을 태워줬다.

근데 너무 재밌게 타서 나도 좀 기분이 좋았다. 1명씩 다 태워주고 긴 줄넘기를 했다. 1학년이 줄넘기도 생각보다 잘했다. 내가 1학년을 좀 과소평가했다.

줄넘기를 하는데 내가 줄을 돌렸는데 팔이 너무

아팠다. 줄 돌리는 사람을 바꾸고 1학년이랑 좀 놀다가 1학년이랑 노는 시간이 끝났다.

그동안 1학년을 좀 과소평가해서 미안하고 생각했던 것보다 많이 재밌었다.

성빈이와 인사하기

권평안 (5)

급식실에서 밥을 먹고 있는데 영수쌤이 내 앞에 앉았다. 그리고 그날 나온 리조또 이야기를 하고 있는데 갑자기 선생님이 성빈이한테 악수를 하고 오라고 하셔서 인사를 하고 악수를 했다.

선생님이 성빈이한테 인사를 하거나 악수 같은 거를 자주 하면 성빈이한테 도움이 된다고 하셨다. 다음에도 만날 때마다 관심을 줘야겠다.

(2023 / 10 / 13)

닭장 청소

김용주 (4)

오늘 아침활동으로 닭장 청소를 했다. 닭장을 갔는데 닭이 많이 컸다. 그만큼 많이 더러웠다. 병아리도 있고, 알도 많았다. 영수쌤이 닭을 차길래 나도 찼다. 도경이랑 민영이가 안들어왔다. 왜냐면 도경이는 닭을 무서워해서, 민영이는 닭장이 더럽고 냄새나서. 근데 나는 마스크도 벗고 있고 잘 치우는데...(나는 닭장 냄새도 괜찮고, 닭도 무서워하지 않는다. 친구들이랑 같이 닭장을 청소할 수 있게 도움을 주고 싶은데 지금은 잘 모르겠다. 도경이랑 민영이와 이야기를 좀 더 해 보고 싶다.)

닭장 청소 _ 김용주 (4)

신은 나를 싫어하셔…….

조예나 (4)

나는 친구 관계에 고민이 매우 많다.

내가 속상한게 생겨서 말을 하게 되면

"아, 또 나야? 짜증나는 것 같은데?" 등 속상한 걸 말할 때 눈치보게 만든다. 그래서 난 속상한 건 잘 말하지는 않지만 내 얼굴이 말하고 있나보다.

선생님이 분명 내가 싫은 건 남도 싫다고 분명히 말하셨는데 어떤 친구들은 약간 나는 되는데 너는 안돼 라는 생각을 가지고 있거나 자신이 모르고 있는 것 같다.

나음날 나음날

조예나 (4)

그네 타다가 점프를

김주원 (3)

나는 호람, 세음, 해민과 그네를 탔다. 나는 그네에서 점프를 했는데 한 1m정도 뛰어올랐다. 몸이 정말 높게 떠서 내 몸이 날아갈 것만 같았다. 하지만 그네에서 점프를 해서 정말 신났다.

(2023 / 8 / 25)

너~~~~무 힘들~다~

성현아 (3)

어울림 큰잔치때 나는 처음부터 요리를 했다. 처음에는 호떡을 만들었는데 호떡말고 소떡소떡을 만들었다. 소떡소떡을 끼우는 것은 셀프인데 사람들이 귀찮아해서 내가 다 소떡소떡을 끼웠다. 친구들에게 스티커도 붙여주었다. 너무나도 힘들었다. 그래도 뿌듯했다. 그 일을 1시간 반 넘게 하고 6학년 언니들과 바꾸고 나는 지유랑 놀러 다녔다. 타투도 하고 퀴즈를 해서 간식을 먹어서 좋았다. 손수건도 만들었다. 마지막에 요리부를 갔더니 호람이가 쉬지 않고 호떡을 만들고 있었다. 그걸보니 호람이가 호떡 공장에서 일하는 줄 알았다. 마지막에 설거지까지 했다. 설거지까지 하니까 너~~무 힘들었다. 다리가 뿌서질 뻔했다. (2023 / 10 / 23)

다부살이 보고 느낀 점

조은솔 (2)

욕은 쓰면 안 된다. 왜냐하면 욕은 쓰면 자기도 속상하고 상대도 속상하다.

또 욕을 쓰면 사과해야 합니다. 또 애기하거나 선생님한테 말해야 합니다.

그리고 도움을 요청해야 합니다.

(2023 / 11 / 8)

독도 전시회 끝나고 느낀 점

정지민 (2)

화요일부터 금요일까지 독도전시회를 했다. 화요일에는 어떤 재미있는 모험을 하게 될까 궁금했는데 생각대로 너무 재미있었다. 독도 퀴즈도 내고 너무 좋았다. 그리고 언니, 오빠들이 편지를 써줘서 너무 감동적이었다. 아쉬운 점은 독도 전시회를 조금 밖에 안해서 너무 아쉬웠다. 그리고 독도 퀴즈를 3일이면 긴 시간동안 한거지만 더 많이 하고 싶은 데 너무너무 아쉬웠다. 그리고 다음에도 독도 공부를 더 많이 하고 싶다. 그리고 6학년 언니, 오빠들은 독도 공부를 하는데 독도를 잘 몰라서 신기했다.

(2023 / 9 / 22)

독도전시회 _ 정지민 (2)

어울림 큰잔치

김서현 (1)

어울림 큰잔치 때
병아리 뽀삐가 죽어서
건영이 언니 울고,
하음이 언니 울고,
모르는 언니 울고 아이고!
그리고 요즘엔 괜찮은지 모르겠다.

어울림 큰잔치 때 다 기뻐야 하는데 어떡해!
어울림 큰잔치 때 아빠가 오징어튀김 한다고
나랑 못 놀아서 속상하다.
(2023 / 10 / 24)

다부 달빛축제

이연서 (1)

공연을 하고 나서 기분이 정말 좋다. 뿌듯하고.
"일어나자!" 할 때 잘했다.
엄마가 잘했다고 말해줘서 좋았다.
난타 공연도 너무 멋졌다.
신기하기도 했다. 빛났다. (2023 / 11 / 20)

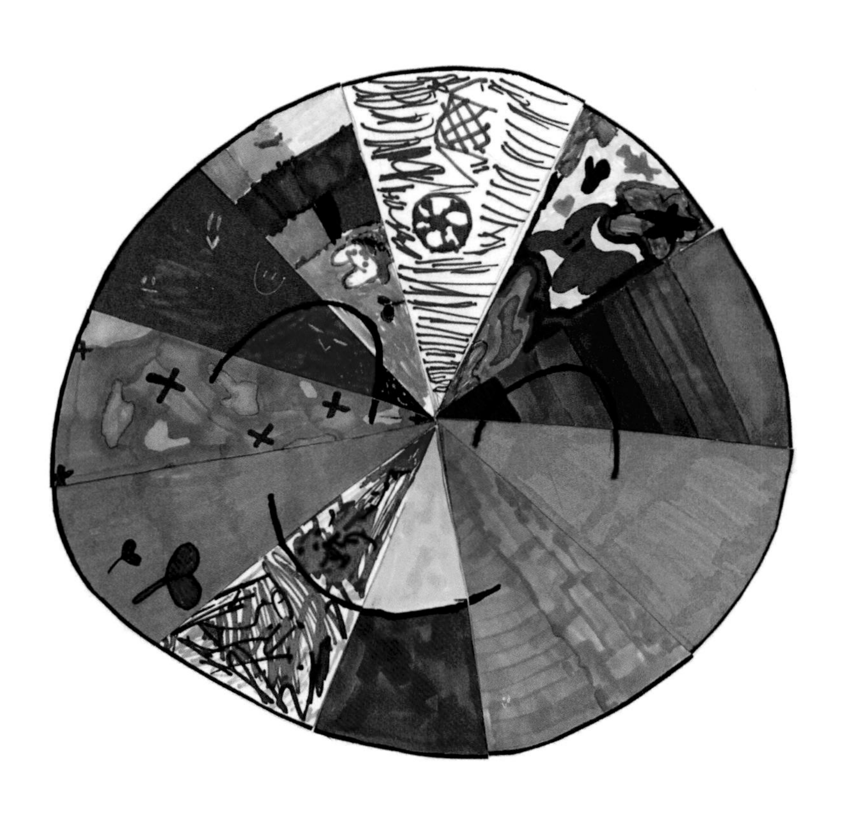

Lucky
Seven

물음표 살인마

박주현 (6)

예전에 다녔던 학원은 숙제를 적게 내줬다. 근데 모르는 문제를 내가 스스로 풀어가서 틀리면 "이거 왜 해왔어! 모르면 물어봐야지!"라고 화를 했다. 몰라서 안해가면 "이거 왜 안해왔어!"라고 화를 냈다. 어떨 땐 문제를 풀면 식은 다 틀렸는데 답만 보고 채점해서 나중에 "사실 이거 다 틀렸었는데 정답처리해줬다."화를 내시는 이해가 안되는 말들을 하신 적도 있다.

지금은 끊고 과외를 하는데 질문을 해도 잘 설명 해 주시고 빨리 풀 수 있는 꿀팁 등을 알려주셔서 정말 재미있다. 학원 끊길 잘한 것 같다.

학교에서는 자습시간처럼 스스로공부 시간이 있

다. 그런데 검사받는 시간에 선생님이 되도 않는 질문을 하신다.

"이건 왜 이렇게 돼?", "이건 왜 이렇게 하라고 하는 걸까?"

예를 들어 "분수의 나눗셈에서 나누기는 왜 곱셈으로 바꿔?" 이런 질문들을 한다.

나는 교과서에서 이렇게 하라해서 한 것 뿐인데 그런 질문을 하니 너무 어이 없고 한번씩 답답하다. 스스로 공부 시간은 속도를 자기 속도에 맞춰 할 수 있는 장점도 있지만, 이런 질문을 받는 단점도 있는 것 같다.

더 이상 선생님이 그런 질문을 안했으면 좋겠다. 근데 선생님은 이런 질문을 계속 할 거라고 한다. 선생님 나쁘다.

강당

최민준 (6)

오늘 드디어 쉬는 시간에 강당을 사용할 수 있게 되었다.

개인피구를 했다. 강당에서 할 수 있어서 좋았다. 강당에서 하면 밖에서 하는 것보다 덜 더워서 좋다. 그리고 강당에서 하는 게 더 재밌다. 이유는 잘 모르겠다.

5학년 때 남녀 상관없이 유행해서 같이 했었는데, 다시 부활한 것 같다.

몇 개월 밖에 못 쓰는데 최대한 많이 써야 겠다.

또 하네?

황선율 (5)

오늘도 "빨리해! 빨리!"라는 소리를 들었다

그 오빠도 나랑 비슷하게 던질때도 있는데 그리고 내가 늦게던지지도 않았는데

계속 그런다

공을 가지로 갈때도 "빨리해빨리"라고하고 다른 사람이 늦게 던질 때는 뭐라하지도 않는다

나한테만 빨리 던지라고 한다

내가잘못한것도 없는데 만약 내가 잘못한게있으면 말해줬으면 좋겠다

그리고 그만하라고 했을때 그만해 줬으면한다

(2023 / 11 / 2)

우리반 친구들의 언어 습관

정승현 (5)

1. 권나경: 킹받네ㅋ,하ㅋ 이런 피식 웃으면서 말을 한다.
2. 최서율: 취향 확인ㅋ, 누구누구 취향 뭐뭐뭐 이렇게 말한다.
3. 이우정: 아 그래? ㅋㅋ, 헉ㅋㅋㅋㅋ, 많이 잘 웃는다.
4: 추지호: 이름을 여러번 부름 누구야누구야 이렇게 말을 하고 항상 질문 거리가 넘쳐난다.
5. 김준서: 아하! ㅋㅋ, 쇠~~ 재미있게 잘 말한다.
6. 손유준: 재미있게 잘 말하고 장난도 재미있게 잘 친다.

7. 박선우: 이름을 한번씩 딱딱 부르고 말투가 재미있다.

8. 유가람: 자기가 공주라는 이야기와 자찬을 자주 한다.

9. 황선율: 항상 웃음기가 있고 재미있게 말한다.

10. 권평안: 재미있고 축구얘기를 자주 한다. 재미있다.

11. 방주원: 자신이 이쁘다하고 공주병이 있다. 가끔하면 괜찮은데 자주하면 좀 그렇다.

12. 강다혜: 재미있고 약간 장난을 잘 받아준다 재미있다.

13. 정승현: 처음에는 언어습관이 안 좋았지만 지금은 좀 많이 괜찮아졌다

(2023 / 9 / 6)

자세가 불편한 다모임

정유정 (4)

다모임을 하는 날이어서 도서관으로 갔다. 좋은 자리를 차지할려고 달려갔는데 그래도 안 좋은 자리가 걸려서 속상했다. 다리를 쪼그리고 앉아있어서 너무 불편했다. 예나가 계단 밑에 있는 방 창문에 앉아있길래 편해보여서 나도 창문에 앉았다. 쪼그리고 앉아있는 것보다 편했다. 그 자세로 다모임을 들었는데 1분 자유발언에서 자극적인 노래를 틀지 말라고 제안을 누가 했는데 자극적인 노래랑 아닌 노래는 뭐가 다른건지 궁금했다. 다모임 노래를 부를 때 창문에 박아서 아팠다. 노래를 불렀는데 1박자 더 빠르게 끝났다. 앞으로 다모임 자리가 더 편했으면 좋겠다.

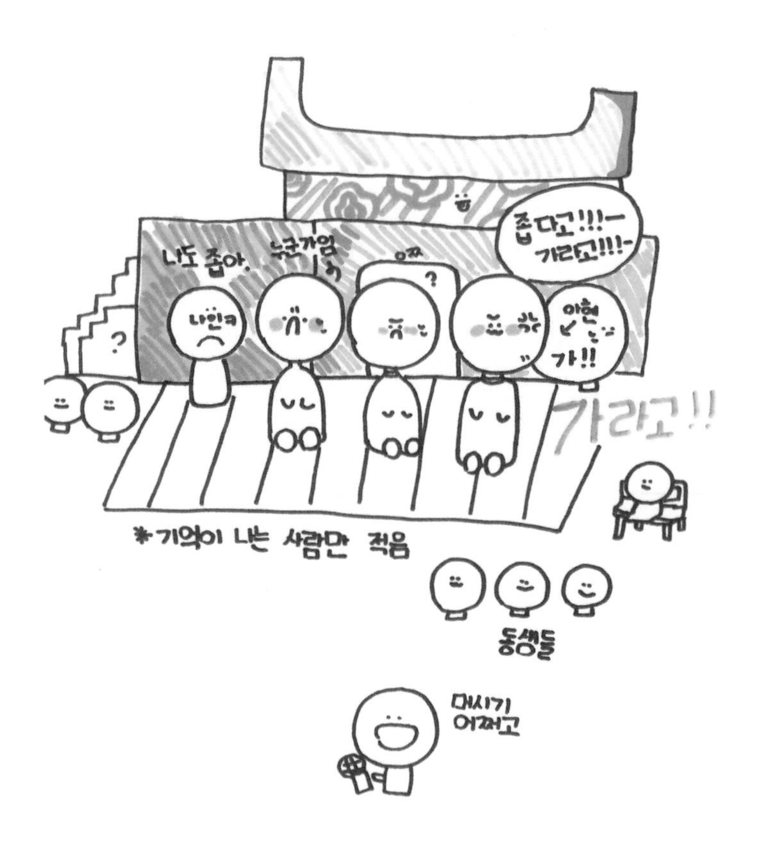

다모임 _ 정유정 (4)

내가 생각하는 좋은 친구란

노현승 (4)

내가 생각하는 좋은 친구는 착하고 재밌고 심심할 때 잘 놀아주는 친구다.

나는 언제는 착하고, 재밌고, 심심할 때 잘 놀아주는데 언제는 나쁘고, 재미없고, 심심할 때 잘 안 놀아준다. 그래서 왔다갔다 한다. 다른 친구들은 나를 어떻게 생각하는지 모르겠다.

나도 글이 올라가고 싶어!

하승민 (3)

다부살이 4호를 읽었다.

4호는 '퀴즈글' '대화글' 등등 글의 주제가 다양해져서 좋았다. 확실히 다부초 글은 너무 재미있다. 1, 2학년 친구들이 맞춤법이 틀려 너무 귀여웠다.

맞춤법은 나도 너무나 많이 틀린다. (혹시 나도 귀엽나?)

글을 읽고 있을 때 너무 좋았다.

좋았으니까 다음 글은 나의 글이 올라가고 제목이 되면 좋겠다.

(꿈이 너무 크냥??^^)

(2023 / 10 / 17)

배신감이 느껴져!

이우승 (3)

오늘 친구들과 경도를 했다. 난 도둑이었다. 내가 도서관에 쏙 숨었다. 애들이 아무도 안와서 난 너무 잘 숨었다고 생각했다. 근데 애들이 너~무 안와서 이상했다. 그때 세음이가 학교차 다왔어! 했다. 그래서 난 뛰었다. 다른 애들에게 배신감이 느껴졌다.

(2023 / 11 / 24)

함께하는 것

권나연 (2)

함께하는게 쉬운 줄 알았어.
그래서 표현을 많이 안했어.
시간은 점점 흐르고 나아가지 못했어.
친구 없이 살아야 되나? 라는 생각이 들었어.
하지만 또친이 생기고 친구가 많아졌다!

(2023 / 12 / 19)

우쿨렐레 하는 날

류다은 (1)

내일이 우쿨렐레 하는 날이다.
긴장이 된다.
하지만 열심히 할 거다.
아빠가 나보면서 박수 쳐 주겠지?
긴장되기도 하지만, 재미있는 하루일 것 같다.

(2023 / 10 / 20)

독도의 날

이우진 (1)

오늘은 독도의 날이다. 강치가 주위에 한 마리도 없는 걸 알았다. 강치가 불쌍하다. 울릉도에서 독도까지 가려면 87.4km라는 걸 알았다.

일본한테 독도는 우리 땅이라고 말하고 평화롭게 살고 싶다. (2023 / 10 / 25)

퍼
짱
트라
파워
S

6학년 해봐, 이런 말이 나오나

김지운 (6)

다모임이 끝나고 왔는데 대표, 부대표가 울고 있었따. 이유는 어떤 애들이

"대표, 부대표 한 것도 없다."

이렇게 말했기 때문이다. 들으니 내가 다 화가 났다.

공약 실천한 것도 있고, 실패한 것도 다 이유가 있어서인데 알지도 못하면서 그랬다. 자기들이 뽑아놓고 욕하는 게 어이가 없었다.

"니네들도 6학년 해봐. 그런 말이 나오나."

학원 가기 싫은 날

박하음 (6)

오늘은 학원을 너무 가기 싫다.

잠도 오고 좀 편하게 쉬고 싶다. 학원을 매일 가고 이번 토요일에는 플롯 발표까지 해서 주말에 쉬지도 못한다.

오늘 하루는 좀 편하게 쉬고 싶다.

내년이면 중학교에 간다. 중학교는 공부도 많이 해야 하는데 걱정된다. 너무 힘들다.

그냥 시간이 멈춰 버렸으면 좋겠다.

학원에서 한번 틀렸던 문제를 또 틀려 선생님이 고칠 때 “아이고, 하음아. 정신 좀 차려라.”

하는 말을 크게 하셔서 오빠들이나 언니들이 다 듣는다.

너무 부끄럽다.

이운 행렬

추지호 (5)

대장경 테마 파크에 갔다. 거기서 이운 행렬을 보는데 오랫동안 팔만대장경을 옮기는 거 같았다. 그리고 신기한게 많았다. 그리고 뭐 누워서 듣는게 있었는데 정말 편했다.

가장 기억에 남는 건 이운 행렬이였는데 신기하고 배로 옮겼는지 아니면 걸어서 옮겼는지 궁금했다.

해인사에 갔는데 풍경이 내가 봤던 풍경 중에 가장 멋있었던거 같다. 그리고 팔만대장경을 보러 갔는데 신기하고 안에 들어가 보고 싶었다.

(2023 / 10 / 30)

어울리기 참 힘드네!

강다혜 (5)

토요일에 어울림 큰 잔치를 했다.

처음엔 우리 동아리 자리를 몰라서 되게 찾기가 어려웠다.

6학년들은 입학설명회를 해야해서 6학년한테 물어보지도 못하는 상황이었다.

5학년은 나 밖에 없어서 더 부담이 되었고 4학년은 나인이랑 예나만 조금 도와주고 놀러가서 내가 해야 할 일이 더 많아졌다.

열심히 하고 앉아있는데 건영이 언니가 와서 뭐라뭐라 말을 했다.

나는 나름 열심히 하고 힘들어서 앉아있었는데 자꾸 뭐라해서 조금 속상했다.

밥은 먹어야 하는데 동아리는 또 도와줘야해서

되게 복잡했다.

1부가 끝나고 2부가 시작되었다.

나는 2부라서 기타도 가르쳐주고 기타 만들기 세트도 하고 나는 무척 열심히 한 것 같아 만족스러웠다.

옆에를 보니 OOO언니랑 OOO이 앉아있었다.

3, 4학년 OOO언니 2부인데 왜 동아리 운영을 안하냐 라는 말 등등 나한테도 묻고 OOO언니한테도 물었다.

OOO언니는 그 말을 듣고 애들한테 '미안해'만 하고 다시 OOO이랑 수다 떨고 놀았다.

이제 곧 동아리 운영은 끝난다고 해서 조금씩 치웠다.

그런데 OOO언니랑 OOO이 학교로 들어갔다.

일단 나는 청소를 해야해서 계속 했다.

3, 4학년은 청소를 잘 도와줘서 고마웠다.

그렇지만 3, 4학년은 '나, 이제 가도 돼?', '언제 끝나?'라는 말 등으로 6학년이 다모임에 이런 말을 하면 힘이 나지 않는다고 했었는데 나도 그

말을 들어보니 나도 별로 하고 싶지 않았다.

이제 부스 정리가 다 끝나고 6학년 교실에 기타만들기 세트 나둘려고 할때 OOO언니랑 OOO이 나왔다.

OOO언니는 동아리 때 놀기만 한 것 같아서 좀 짜증났다.

그때 내 마음은 짜증나고 힘들었다.

결국엔 마지막에 눈물이 나고 말았다.

5학년 여자친구들이 위로를 해주니까 그나마 괜찮아졌다.

내가 6학년 때는 5학년이 나처럼 속상하고 힘들지 않게 해주고 싶다.

(2023 / 10 / 23)

우리 학교는 자율학교다.

권이레 (4)

우리 학교는 자율학교다. 그래서 쉬는 시간도 많고 너무 좋다. 근데 원래 달빛축제 때 하는 공연 우리랑 의견을 내서 같이 정하는 거다.(창체 시간 때) 박정은 선생님, 손미현 쌤, 김은정 쌤하고 그렇게 했다. 근데 우리 쌤은 선생님 혼자 오카리나로 정해서 좀 당황했다. 다음부턴 우리 의견도 들어 주셨으면 좋겠다.

우리 학교

이대현 (4)

지금 우리 학교는 너무 좋다. 다움관도 새로 짓고, 그물놀이터도 다시 할 수 있게 되었다. 내가 1~2학년 때는 놀이터도 있었는데 다시 생기면 좋겠다.

다부초야, 고마워. 근데 우리가 다부초에 있는건 2년 밖에 안 남았는데 학교가 점점 좋아져서 쬐끔 불공평한거 같다.

어제 동아리 했는 날

이해민 (3)

나는 어제 동아리를 했다. 동아리 끝나고 교실에 들어와서 책상 밑을 정리했다. 정리를 끝내고 밖을 나갔다. 김주원이가 가방을 놓고 신발을 갈아 신고 있었다. 나도 신발을 갈아 신었다. 주원이와 같이 축구 패널티 킥연습을 했다. 재미있었다. 뿌듯했다. 다음에도 하고 싶다.

(2023 / 12 / 1)

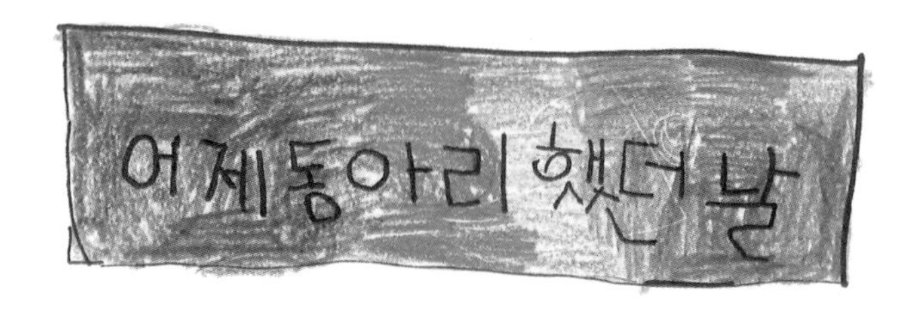

어울림 큰잔치 _ 이해민 (3)

내 실력이 이 정도였다니!

박수성 (3)

어제 이주원이와 같이 축구 패널티 킥 연습을 했다. 이주원이 공을 너무 높게 차서 막을 수 가 없었다. 그래도 계속하고 있었는데 해민이도 같이 하자고해서 같이 했다. 주원이 먼저차고 해민이가 찰 차례가 되어 찼다. 해민이가 골대 구석으로 너무 잘 차서 막을 수 가 없었다. 거의 한 골도 못막아서 아쉬웠다. 다음에는 꼭 다 막을거다.

(2023 / 11 / 2)

축구 _ 박수성 (3)

학교 놀이

송채빈 (2)

학교에서 오늘 1~3학년이랑 산책하고 흙놀이도 하고, 간식도 먹었다. 재미있었다.

흙놀이 할 때, 옷이 젖었다. 좋았다. 맨발로 흙놀이를 했다. 흙놀이를 할 때 느낌이 좋았다.

간식 먹을 때 포도 맛이 좋고, 모양이 가지 모양이었다. 신기했다.

(2023 / 5 / 31)

학교 놀이 _ 송채빈 (2)

개인 물건

강 산 (2)

개인 물건은 안 가져와도 된다.

개인 물건을 가져오면 다른 사람이 부럽다. 그리고 공약에 있었지만 원래 규칙에도 어긋난다.

그리고 도서관에 있는 책을 보면 된다. 내 주장은 만화책은 안 들고 와야 된다. 책을 보고 그림을 그릴거면 집에서 그려야 된다.

그리고 애들이 차별 한다는 감정을 느낄 수가 있다.

자랑 할거면 집에서 개인적으로 읽어야 된다.

(2023 / 12 / 1)

개인 물건 _ 강산 (2)

스케이트장

유아름 (1)

처음에는 무서워 무서워!
너무 무서워서 손을 뗄 수 없었다.
나중에는 쌩쌩 빨리
넘어질 뻔 넘어질 뻔하다
진짜 넘어졌다. 내가 쿵.

(2023 / 11 / 22)

넘어질 뻔 하다
진짜 넘어졌다. 내가 쿵